POUR JULIETTE

Conception graphique : Studio Flammarion Jeunesse
Mise en page : Anne-Claire Monnier
© Flammarion pour le texte et l'illustration, 2014
87, quai Panhard-et-Levassor – 75647 Paris Cedex 13
Dépôt légal : janvier 2014
ISBN : 978-2-9169-0002-5 / N° d'édition : L.01EJEN001093.N001
Loi n° 49-956 du 16 juillet 1949 sur les publications destinées à la jeunesse.

BERNARD FRIOT

LE LIVRE de mes RECORDS nuls

APPROUVÉ PAR BEN LETOURNEUX

Flammarion

LECTEUR (TRÈS) IMPRUDENT,

Tu viens d'ouvrir MON livre. Qui t'a donné la permission ?
Je te préviens gentiment : tu t'exposes à de graves
dangers si tu tournes la page et continues ta lecture.
Quels dangers ? Hé, ça, je ne te le dis pas... Tu verras...
Mais s'il t'arrive des ennuis, je n'en suis pas responsable,
compris ?

À bon entendeur,

salut !

Je m'appelle
BEN Letourneux
et, je le répète,
ce livre est à MOI !
Strictement confidentiel.
Top secret.
Exemplaire unique
pour un lecteur unique :

MOI !

Ce matin, À 3 h 45 j'ai eu 11 ans et 111 jours, si je ne me suis pas trompé dans mes calculs. BEN, c'est mon vrai prénom, ce n'est pas un diminutif, ok ? Les gens croient que je m'appelle Benjamin, Benoît ou je ne sais quoi, et ça **M'ÉNERVE !**

Mais je ne vais pas raconter ma vie ici. Je vais écrire le livre de MES records. Attention : pas des records SPORTIFS ! Ça m'est bien égal de courir le cent mètres en 9 secondes et 52 centièmes ou en 3 heures 37 minutes et 28 secondes. Non, moi je bats des records NULS ! Parce que je suis nul, il paraît. C'est ce qu'ils disent tous.

Quelques exemples :

1) Mon père : « Tu as encore cassé un verre ! C'est le troisième en moins d'une semaine ! C'est vraiment nul ! Tu ne peux pas faire attention ? »

Et alors, lui, il a bien cassé cinq assiettes, d'un seul coup, un jour.

2) Ma mère : « Quoi, 3 en anglais ! Mais tu es nul en langues, mon ami. »

Quand ma mère m'appelle « mon ami », c'est très, très mauvais signe.

3) Ma sœur Line : « Pousse-toi, gros nul ! »

Comme ça, sans explication, alors que je ne suis même pas gros, plutôt maigrichon, à vrai dire.

4) David, un copain de classe : « File-moi le ballon, vite ! Ah non, t'es nul ! Tu sais même pas faire une passe ! »

En vrai, je n'avais pas envie de lui passer le ballon parce qu'il allait marquer un but à coup sûr et c'était mon copain Martin le gardien de but de l'équipe adverse.

5) La prof de musique : « Ben, tu serais gentil si tu fermais la bouche pendant que tes camarades chantent. Je suis désolée de le dire, mais je n'ai jamais entendu quelqu'un chanter aussi faux que toi. »

Elle est polie, la prof, elle n'a pas dit que j'étais nul, mais ça se voyait comme le nez au milieu de sa figure qu'elle le pensait. D'ailleurs, elle a un très joli nez.

Ah, j'allais oublier **la prof de français**. C'est elle qui m'a donné l'idée de ce livre. Hier, elle m'a tendu ma copie du bout des doigts et a dit d'un air pincé : « Bravo, Ben, tu as battu ton record ! Trente-six taches et dix-sept ratures. Ta copie est illisible, un vrai torchon. Je ne t'ai même pas mis de note, j'avais trop peur de salir mon stylo ! »

C'est vraiment pas juste ! D'abord, est-ce que c'est ma faute si mon stylo fuit et laisse partout des taches d'encre ? Et puis, il y a à peine deux jours, la prof nous a montré la photo d'un manuscrit d'écrivain. C'était tout gribouillé, impossible de déchiffrer deux mots.

Toute contente, elle explique : « Vous voyez, un écrivain, il travaille son texte, c'est pourquoi il y a plein de ratures. » Faudrait savoir...
Juste pour la contrarier, je ferai un livre *presque* sans ratures. Pour les fautes d'orthographe, je compte sur le correcteur automatique.

Dès que je bats un record **nul**, je commence. Ça ne saurait tarder...

PS : il y a quand même quelqu'un qui a failli me faire un compliment. Mon prof d'arts plastiques. Il m'a surpris pendant que je le dessinais sur mon agenda. Il a regardé un long moment le résultat. À la fin, il a commenté : « Pas mal. Tu es doué pour la caricature. C'est mon collègue de sport, n'est-ce pas ? N'aie crainte, je ne lui dirai rien. »

RECORD
DES INSULTES

Pour chaque record, c'est normal, je vais me fabriquer un diplôme. Et un jour, j'en ferai une exposition, dans ma chambre ou dans un musée, on verra.

Voici mon premier record officiel : 29 insultes en un seul jour. Après on s'étonnera que je manque de confiance en moi. C'est ce qu'a dit ma mère, avant-hier, à mamie, au téléphone.

La journée avait bien commencé. Je trouvais génial qu'on soit le 29 février, c'est comme un jour supplémentaire et gratuit. Style trois paquets de chewing-gums pour le prix de deux.
J'étais de super bonne humeur en me levant avec deux minutes d'avance sur le réveil. J'ai ouvert en grand les volets, j'ai allumé la radio et je me suis mis à chanter « Olé olé ya hou bouloulou wapagadou » sur un air que j'ai inventé, un peu pop et un peu rock. Et parce que, vraiment, j'étais trop content, j'ai dansé, j'ai dévalé les escaliers sur un pied, j'ai fait la roue dans le couloir et des bonds dans le salon.

– Ça va pas la tête ! Tu es **cinglé** ou quoi ? Arrête ce ramdam immédiatement !

– Olé olé ya hou bouloulou wapagadou ! ai-je continué, un ton en dessous.

– Ferme-la ! C'est pas vrai, ce môme est une **calamité**, une **catastrophe naturelle** !

– Hein, quoi ?

– Un **cataclysme**, un **tsunami sonore**, un **ouragan dévastateur** !

– Et **casse-couilles** par-dessus le marché !

Ça, c'était ma sœur Line, qui a fait son apparition en nuisette transparente et grosses chaussettes de laine remontées jusqu'aux genoux.

– Tu peux parler, ai-je dit, toi tu ressembles à un épouvantail.

Mais je manquais de conviction, j'étais trop déprimé, ils m'avaient déjà cassé le moral : **cinglé, calamité, catastrophe naturelle, cataclysme, tsunami sonore, ouragan dévastateur** et **casse-couilles** ! Tout ça en moins de quinze secondes. Et à jeun, pour tout arranger.

Je me suis traîné jusqu'à la cuisine, me suis préparé un bol de céréales. Quand j'ai voulu verser le lait, la bouteille m'a échappé des mains et s'est fracassée au sol. Hurlements de ma sœur :

> Des Chocoloulou à la banane, hmm, trop bon.

– **Crétin ! Débile !** Tu peux pas faire attention ?

– J'ai pas fait exprès, ai-je protesté.

– Encore heureux, **patate** !

Ma mère est arrivée à ce moment-là et a demandé ce qui se passait.

– C'est ce **cornichon** qui a inondé la cuisine ! m'a dénoncé ma sœur.

– Ben, mon garçon, tu es un **petit cochon** !

Quand ma mère m'appelle « mon garçon »,
c'est très mauvais signe, juste un peu moins
grave que « mon ami ».

Crétin, débile, patate, cornichon, cochon : Tiens, ça rime.
on en était à 13 à 0.

Trop heureux de quitter cette famille de tortion-
naires, je suis parti au collège. À peine entré dans
la cour, je me fais bousculer par un type de troisième. Je n'ai pas le temps de protester qu'il m'in-
sulte :

– Hé, **minus**, dégage. T'entends, **microbe** ? Dispa-
rais, on n'est pas à la crèche ici, **avorton** !

J'en reste scotché sur place, bouche grande ouverte. Quelqu'un me secoue le bras, c'est Martin,
un pote de classe.

– Ben ? Hou hou, Ben ? T'es là ? Réveille-toi, tu ressembles à un **zombie**.

Zombie, ça compte ou pas ? Un zombie, c'est moche

et inquiétant. Ce n'est pas un compliment, sûr et certain. Je l'ajoute à la liste. Avec minus, microbe et avorton, mon compteur annonçait 17 insultes.

À partir de là, je me suis contenté de noter sur un carnet :

18. Abruti ! Sophie, une fille de ma classe, parce que je lui ai fait remarquer qu'elle avait un trou dans son jean, sur sa fesse droite, même qu'on voyait sa culotte, rose avec des nounours bleus.

19. Mollusque ! Le prof de sport, pendant le match de volley.

20. Pipelette ! La prof d'histoire.

21. 22. Choucroute pourrie ! Bave de yéti !
Une fille à la cantine, parce que je la fixais alors qu'elle engloutissait son sixième flan au caramel.

23. 24. 25. Saucisson électrique ! Robinet à ressort ! Spaghetti sans sauce ! Mon copain Martin, pour rigoler, mais j'ajoute quand même.

27. Microcéphale !

Un surveillant dans le couloir, quand je me suis pris les pieds dans un cartable qui traînait là et que je suis tombé sur lui ; « microcéphale », j'ai regardé dans le dico, ça veut dire « petit cerveau » ; je vais porter plainte !

28. Morveux ! Ça, c'est ma sœur, mais j'y suis habitué, elle me le dit au moins dix fois par jour.

J'ai gardé la meilleure pour la fin. Ce soir, juste avant le souper, mon père m'a demandé de l'aider à monter une étagère dans le cellier. Dans ces cas-là, il se prend pour un grand technicien et moi je dois lui passer les outils dont il a besoin. À un moment, au lieu de lui donner le tournevis, je lui ai tendu la balayette. Furieux, il me l'a jetée à la figure en criant :

29. Fils d'andouille ! J'ai répondu, bien sûr : « Oui, papa ! » Et j'ai filé m'enfermer dans les WC.

PS : mamie Annie dit toujours qu'il faut « positiver ». Alors, je positive : UNE personne m'a fait UN compliment aujourd'hui. M. Demirel, notre vieux voisin. Il a 87 ans et il vit seul depuis la mort de sa femme, il y a un an. Deux fois par semaine, je lui apporte du pain frais. On discute un moment dans sa cuisine en buvant du jus de pomme. Il me raconte des histoires du temps où il était dans la marine. Ou bien, il me montre sa collection de jouets mécaniques. Il vient juste de réparer un clown qui bat du tambour. Quand je suis parti, il m'a dit : « Tu es un gentil garçon, Ben, ne change pas. »

Je ne sais pas si c'est un vrai compliment : ma mère s'inquiète pour M. Demirel, elle dit qu'il perd un peu la tête.

PS 2 : je viens juste de le remarquer : 29 insultes pour le 29 février. Et on habite au 29, rue Granvelle. C'est rigolo, non ?

PS 3 : pour chaque record, c'est normal, j'ai décidé de me fabriquer un diplôme illustré et de le coller dans MON livre. Voici donc le premier.

le 29 février

DIPLÔME ACCORDÉ À BEN LETOURNEUX

En ce jour, le malheureux Ben a reçu en pleine figure 29 insultes,

la plupart du temps sans l'avoir nullement mérité

invectives, injures, affronts, noms d'oiseaux

ou comme on voudra les nommer, ce qui a nui gravement

à son estime de soi et à son équilibre psychologique.

Le jury lui exprime ses plus sincères condoléances

et l'encourage à ne prêter aucune attention

*constitué principalement
de Ben Letourneux
lui-même et en personne*

à ces insultes, invectives, etc.

Le jury

RECORD DE ROTS À TABLE

Là, je suis sûr d'avoir battu le record mondial. J'ai roté 37 fois pendant le déjeuner, de l'entrée au fromage. J'aurais dépassé les quarante si j'avais pu finir le repas, mais j'ai été privé de dessert.

En plus, c'était du tiramisu et j'adore ça.

Je ne sais pas comment dessiner un rot. Je ne sais même pas quel bruit ça fait vraiment. Quelque chose comme « eurgh », si on veut. Alors je vais aligner mes 37 eurgh pour représenter mon record. Le 37e, je ne l'écris pas pareil que les autres, parce qu'il n'était pas pareil.

EURGH

EURGH

le 4 mars

EURGH

EURGH

EURGH

Moitié de diplôme accordée à Ben Letourneux

En ce jour, Ben Letourneux a établi un nouveau record probablement mondial

de rots : 37 rots en moins d'une heure.

Le jury félicite le brillant recordman mais regrette

EURGH

qu'il n'ait pu enregistrer son exploit, ce qui aurait constitué

un document sonore particulièrement intéressant.

EURGH EURGH EURGH EURGH EURGH

EURGH

EURGH EURGH

EURGH EURGH

EURGH EURGH EURGH

EURGH EURGH EURGH

EURGH

EURGH EURGH EURGH EURGH EURGH

EURGH EURGH EURGH EURGH

EURGH

EURGH EURGH

Le jury

EURGH

EURGH

Oui, c'est vrai, dommage que je ne les aie pas en-
registrés. Mais ma sœur Line est témoin que je dis
la vérité. Elle a compté mes rots, et je soupçonne
qu'elle en a oublié deux ou trois, parce qu'elle riait
comme une demeurée pendant que je me faisais
réprimander.

J'emploie le mot « réprimander », parce que je
suis poli, et je n'ai pas l'habitude d'écrire des gros
mots. J'en dis, bien sûr, mais c'est différent. En
vrai, je me suis fait engueuler comme du poisson
pourri. Alors que je n'y pouvais rien. Je n'ai pas fait
exprès de roter, quand même. Enfin, pas au début.
C'est parce que mes parents ont invité la tante
Rosie. C'est une vieille tante de mon père et elle
vit dans une maison de retraite pas très loin de
chez nous. Pour lui faire plaisir, maman lui a mijoté
ses plats préférés. Des trucs horribles, on n'ima-
gine même pas que ça puisse se manger. Pour
commencer, du bouillon de poulet au tapioca. Le
tapioca, ça ressemble à… non, impossible de dé-
crire. Quelque chose comme de la bave d'escargot

congelée. Bref, quand vous voyez ça dans votre assiette, votre estomac se tord, se retourne, se rétracte... et, voup ! vous rotez. Automatique ! Le premier rot m'a surpris, je n'ai pas eu le temps de mettre ma serviette devant la bouche.

– Ben ! a crié maman.

– Oh, Ben, a soupiré papa Avec un temps de retard.

Parce qu'un deuxième a suivi immédiatement le premier. – Eurgh ! ai-je répondu.

– Qu'est-ce qu'il dit ? a demandé la tante Rosie. Qui est sourde comme un pot.

Pour calmer mon estomac, j'ai vite avalé une deuxième cuillère de bouillon au tapioca. En fermant les yeux et en me pinçant le nez.

Un remède pire que le mal, comme dirait ma grand-mère Annie. Révolté, mon estomac a déclenché une rafale de rots retentissants.

C'est là que Line a piqué un fou rire et renversé son verre de jus de pomme sur la nappe et sur le pantalon de mon père qui s'est levé brusquement et a fait tomber la soupière. Qu'il tenait dans ses mains.

Quel bazar ! Ma mère était furieuse. Moi, au contraire, ça m'a calmé. J'ai bu un verre d'eau et mon estomac s'est relaxé.

Dix minutes après, ma mère a servi le plat princi-pal : des rognons de veau au chou. Oui, oui, vous avez bien lu : des rognons de veau au chou.

Je vous rappelle quand même qu'il est
INTERDIT
de lire ce livre.

J'ai ouvert la bouche, bien grand, pour :

1) respirer ;

2) dire : « Non, pas question, pour rien au monde, même sous la torture, même si on me privait d'ordi pendant quinze jours, euh non, disons deux jours jamais je n'avalerais ce truc-là ! »

Inflexible, ma mère a tendu un doigt rageur en direction de mon assiette en disant : « Mange ! »

Elle était sur les nerfs, ça se voyait, j'avais l'im-pression que des éclairs jaillissaient du bout de son doigt. Alors, j'ai avalé un petit bout de rognon et un mini-morceau de chou. Ça a suffi. Une série de rots s'est déclenchée, force 10, j'en faisais des bonds sur ma chaise : EURGH

EURGH

EURGH

EURGH

EURGH

EURGH

EURGH

EURGH

EURGH

– 8, 9, 10, 11, 12, 13, 14, 15, 16 ! a compté ma sœur.

– Ben ! a crié maman.

– Oh, Ben, a soupiré papa.

Avec un temps de retard.

– EURGH - EURGH - EURGH ! ai-je répondu.

– Qu'est-ce qu'il dit ? a demandé la tante Rosie.

– 17, 18, 19, 20, a compté ma sœur.

– Bois de l'eau ! a hurlé ma mère.

– Avale un morceau de pain ! a conseillé mon père.

– EURGH - EURGH - EURGH ! ai-je continué.

– Qu'est-ce qu'il dit ? a demandé la tante Rosie.

– 21, 22, 23 ! a compté ma sœur.

Ça a duré comme ça jusqu'au 36e rot. Là, la tante Rosie s'est levée, m'a enfoncé un doigt dans l'estomac, l'a tourné trois fois dans un sens, trois dans l'autre et... stop, plus de rot, plus de spasme. Ouf, ça faisait du bien. Juste parce que j'avais peur qu'on me force à avaler le contenu répugnant de mon assiette, j'ai fait EURGH encore une fois.

– 37 ! a dit ma sœur.

– Ça, c'est le rot de trop ! a dit mon père.

– Dehors ! a dit ma mère. File dans ta chambre, tu es privé de dessert.

La tante Rosie n'a rien dit. Line m'a raconté qu'elle a vidé mon assiette en plus de la sienne. Quand elle est partie, en fin d'après-midi, elle est montée dans ma chambre pour me dire au revoir. Elle a les joues qui piquent quand on l'embrasse. Elle m'a glissé quelque chose dans la main. Un billet de vingt euros.

Record
de pannes

Une journée complètement déglinguée ! À peine j'approchais un objet, paf ! Il se détraquait. Sans même que je le touche ! J'espère que mon ordi ne va pas me lâcher, là, pendant que j'écris, et que l'imprimante n'a pas décidé que c'était son jour de congé...

J'ai numéroté les pannes, ce sera plus facile pour suivre !

le 8 mars

DIPLÔME ACCORDÉ À BEN LETOURNEUX

En ce jour, Ben Letourneux a accumulé
le nombre extraordinaire de 23 pannes,
ce qui peut être considéré comme le record mondial
dans la catégorie benjamin.

Le jury

Panne n°1. Tout a commencé par mon réveil qui n'a pas sonné. Je l'avais bien réglé, mais la pile a rendu l'âme en pleine nuit. Bien sûr, ma mère est venue me secouer à 7 heures précises, donc pas de danger que j'arrive en retard à l'école. Mais moi, je mets le réveil à 7 heures moins cinq pour me réveiller en douceur. Pour avoir le temps de dire bonjour au jour, à ma chambre, à mon nombril et à mes doigts de pied. Si je suis réveillé brusque-ment, je me sens bizarre, comme si j'avais mal au cœur. Et la journée est ratée.

Pour être ratée, ça, elle a été ratée.

Panne n°2. Encore groggy de sommeil, je suis allé prendre ma douche. Le chauffe-eau était en panne. Heureusement que je m'en suis aperçu à temps. Pas d'eau chaude, pas de douche. Bon, pas grave. Je me suis mouillé les cheveux pour faire semblant et je suis descendu à la cuisine.

Panne n°3. Il ne restait plus de Chocoloulou, mes céréales préférées. Qu'est-ce que j'allais manger ? Je me suis goinfré de cookies au chocolat, le seul truc mangeable que j'ai trouvé dans les placards. Et là, j'ai vraiment attrapé mal au cœur. En plus, impossible de me chauffer un bol de chocolat, il n'y avait plus de gaz. **Panne n° 4.**

Je suis allé au WC pour... faire ce que j'avais à y faire. Sans réfléchir, j'ai fermé à clef. J'avais oublié que la serrure se bloque deux fois sur trois. Impossible de rouvrir. Maman a dû démonter la serrure. **Panne n° 5.** Et il n'était que 7 h 22, d'après ma montre. 7 h 58 d'après l'horloge de la cuisine. Ah bon ? **Panne n° 6.** Ma montre.

J'ai dû courir pour attraper le bus. Il était à l'heure, lui, exceptionnellement. Mais au bout de trois cents mètres, le moteur s'est mis à tousser, à crachoter, à râler et le bus a stoppé au beau milieu de la route. J'ai dû continuer à pied. **Panne n° 7.**

J'ai pris mon temps. Avec Martin, qui était dans le bus avec moi, on a fait un concours à celui qui sauterait sur un pied le plus longtemps. J'ai perdu parce que mon lacet s'est cassé et je suis tombé sur le nez. **Panne n°8.**

Quand on est arrivés en classe, les autres terminaient un problème de math. La prof m'a envoyé au tableau pour la correction. Chaque fois que je voulais écrire, la craie se brisait en petits morceaux. **Panne n° 9**. « N'appuie pas aussi fort ! » m'a dit la prof. Alors, j'ai essayé de tenir la craie le plus délicatement possible, mais elle m'a glissé des doigts et s'est écrasée au sol. **Panne n° 10**. La prof m'a renvoyé à ma place. Quand j'ai voulu m'asseoir, la chaise s'est effondrée sous moi. Pourtant je ne pèse que 44 kilos pour 1,65m. C'était un pied qui était cassé. **Panne n° 10**.

Et ça a continué toute la journée : 23 pannes en tout. Je ne vais pas tout raconter en détail, parce que ce serait trop fatigant. pour moi Je raconte juste la **panne n° 21**. Après manger, parce que c'était mon tour, j'ai rangé la vaisselle dans le lave-vaisselle. Avec un grand sourire, Line m'a annoncé qu'il était en panne et que je devais faire la vaisselle à la main.

– Ça va pas la tête ? j'ai dit.

– Désolée, mais c'est ton tour, a-t-elle répliqué.

– Mon tour de lave-vaisselle, pas de vaisselle !

– Mais comme le lave-vaisselle est en panne, tu dois le remplacer...

– Je ne m'appelle pas Melomatic 346 E ! *C'est la marque de notre lave-vaisselle.*

– Non, c'est vrai, mon cher Ben à ordures !

Une des plaisanteries préférées de ma sœur. Je ne prends même plus la peine d'y répondre.

Etc., etc. À la fin, les parents nous ont obligés à faire la vaisselle tous les deux, elle à la plonge, moi au torchon pour essuyer.

Ce serait bien si les parents tombaient en panne de temps en temps. On les enverrait chez le réparateur et ils reviendraient tout neufs, bien huilés et toujours contents.

Mais là, faut pas rêver...

Record du fils indigne

Hou là là !

J'hésite encore à raconter ce qui m'est arrivé aujourd'hui. Si jamais quelqu'un lisait ce livre, je me paierais la honte de ma vie.

Mais c'est impossible, n'est-ce pas ? Personne n'oserait...

Je suis allé au marché avec ma mère. J'aime bien parce qu'il y a aussi des brocanteurs et des bouquinistes. J'ai trouvé deux mangas et un livre sur le cirque. Et un clown faisait son numéro devant le musée. J'ai adoré. Il avait un panier rempli de carottes, de choux, de navets et d'œufs frais ; il essayait de préparer à manger, mais il lui arrivait des tas de catastrophes. C'était à mourir de rire. Il jonglait avec les œufs et il a transformé les légumes en instruments de musique. Incroyable. J'aurais aimé parler avec le clown à la fin de son numéro, mais je n'ai pas osé.

Pendant que je regardais le clown, ma mère est allée faire ses emplettes. Je l'ai cherchée à travers les allées du marché et finalement je l'ai aperçue qui s'éloignait du côté de la grande poste. Je me suis faufilé dans la foule pour la suivre. Elle marchait vite, je n'arrivais pas à la rattraper. Elle a tourné sur la droite après la poste. Je me suis demandé pourquoi elle passait par là, ce n'est pas la direction pour rentrer chez nous. Ensuite, elle a traversé le pont Victor-Hugo. Je me suis dit : « Tiens, elle va peut-être chez le cordonnier, il a sa boutique dans le quartier. » Non, elle a continué par l'avenue Denfert-Rochereau. Là, je n'y comprenais plus rien. Je me suis mis à courir pour la rejoindre, mais le feu est passé au rouge pour les piétons et j'ai dû attendre une éternité avant de traverser la rue. J'ai aperçu ma mère qui entrait dans une cour d'immeuble. J'ai piqué un sprint et je suis arrivé juste à temps pour la voir entrer dans une vieille bâtisse délabrée.

– Maman ! j'ai appelé. Maman !

Elle n'a pas réagi. Elle a ouvert une boîte à lettres et sorti le courrier. J'ai commencé à m'inquiéter sérieusement. Qu'est-ce qu'elle faisait dans cet immeuble pourri ? Pourquoi avait-elle la clé de la boîte à lettres ? Et pourquoi ne m'avait-elle rien dit ? Est-ce qu'elle menait une double vie ?

J'ai grimpé les marches jusqu'à l'entrée de l'immeuble, j'ai poussé la porte vitrée qui a grincé affreusement. Ma mère s'est tournée vers moi et… ce n'était pas ma mère ! C'était une femme âgée, aux traits durs, à l'air pas commode. Elle ne ressemblait pas du tout à ma mère. Sauf qu'elle avait le même imperméable.

J'étais paralysé. La femme m'a regardé comme si j'étais un délinquant. Finalement, j'ai bafouillé :

– Euh... pardon... euh... c'est une erreur... je me suis trompé...

Et je me suis carapaté vitesse grand V. Oh, la honte ! Se tromper de mère ! Les joues en feu, j'ai couru jusqu'au marché et j'ai cherché partout ma mère. La vraie. Elle était devant la banque en grande conversation avec son prof de yoga. Je me suis précipité vers elle, je me suis accroché à elle en répétant « Maman, maman ! » comme un bébé de trois ans.

– À quoi tu joues ? a demandé maman en se secouant.

– Oh, mais c'est qu'il aime sa maman, ce garçon ! a commenté le prof de yoga, ironique. Je suppose.

J'ai ramassé les deux paniers de ma mère et je l'ai suivie sans rien dire jusqu'à la maison. En quittant le marché, j'ai aperçu le clown qui rangeait ses accessoires dans une valise en carton. Démaquillé et sans costume, il semblait beaucoup plus jeune.

le 10 mars

DIPLÔME ACCORDÉ À BEN LETOURNEUX

Le titre mondial de Fils Indigne

est attribué à Ben Letourneux,

incapable de reconnaître sa propre mère

au milieu d'une foule limitée.

Pour se racheter, le jeune Letourneux

est condamné à offrir

DEUX cadeaux à sa maman

le jour de la fête des Mères. Les colliers en nouilles
sont exclus.

Le jur

RECORD
DE SALETÉ

Ok, ce n'est pas le record du monde, juste mon record personnel, et je n'ai pas fait exprès de le battre. Mais ça vaut bien un diplôme.

En tout cas, voilà huit jours que je ne me suis pas lavé. Le premier jour, c'est parce qu'il n'y avait plus d'eau chaude et je ne suis pas assez fou pour prendre une douche froide. Le lendemain, c'est parce que j'étais super en retard ; je m'étais aperçu

Sauf les dents.

que je n'avais pas fait mon devoir de math et j'ai appelé Martin pour qu'il me dicte les résultats. Le jour suivant, c'est la faute de ma sœur qui a monopolisé la salle de bains et j'en avais trop marre d'attendre. Le quatrième jour, je n'avais pas envie. Ainsi de suite. Ce matin, je me suis aperçu que j'avais de la crasse au creux du coude. Et je crois bien que je pue un peu. Mais personne ne s'en est rendu compte. Ni à la maison ni à l'école. Demain, il y a piscine, je serai obligé de prendre une douche. Ce soir, je prendrai un bain moussant. Pour jouer avec ma collection de canards en plastique.

le 17 mars

DIPLÔME ACCORDÉ
avec des pincettes et sous pochette plastique
À BEN LETOURNEUX

Beurk, beurk ! Après avoir ouvert les fenêtres
et désinfecté les locaux, le jury atteste à vue de nez
que Ben Letourneux est resté huit jours sans se doucher
et déclare qu'il mérite de recevoir sans tarder un savon !

Le jury

Record du temps (qu'on m'a) volé

Il y a une heure, Martin m'a téléphoné.

– Qu'est-ce que tu as fait aujourd'hui ?

J'ai réfléchi un moment et puis j'ai répondu :

– Rien. Rien d'intéressant. Rien, quoi.

– Ah bon, a-t-il dit, tu as perdu ton temps, alors ?

J'ai encore réfléchi. Un long moment. Et puis j'ai répondu :

– Non, je n'ai pas perdu mon temps. On me l'a volé.

– Ah, il a dit.

C'est tout. Après, on a parlé d'autre chose.

Depuis, je n'ai pas arrêté de réfléchir. Je n'aurais jamais cru que je pouvais réfléchir aussi long-temps sans avoir mal à la tête. Au contraire, ça fait du bien, vous devriez essayer, vous aussi.

Oui, c'est vrai, par exemple vous auriez dû BIEN réfléchir avant d'ouvrir ce livre...

J'ai établi mon emploi du temps de la journée, j'ai additionné tout le temps qu'on m'a fait perdre et je suis sûr que j'ai battu un record. Je mérite donc un nouveau diplôme.

le 24 mars

DIPLÔME ACCORDÉ À BEN LETOURNEUX

Sans contestation possible, Ben Letourneux
a battu le record du temps perdu malgré lui,
soit 9 heures *environ* en une seule journée.
En compensation, il a l'autorisation de perdre le même laps
de temps en occupations de son choix
et au moment de son choix.

Le jury

Je me suis réveillé hyper tôt, pourtant. C'est toujours comme ça le samedi, je ne sais pas pourquoi. Bref, à 5 heures et demie, j'étais debout, en pleine forme. J'ai ouvert les volets, allumé toutes les lumières et j'ai regardé ma chambre. Elle n'était pas pareille, je trouvais, elle avait l'air bizarre. J'ai ouvert l'armoire, les tiroirs du bureau, mon vieux coffre à jouets. Et j'ai regardé sous mon lit. Atchoum ! Atchoum ! J'ai éternué à cause de la poussière et des moutons. Et j'ai décidé de passer l'aspirateur. J'ai pensé : maman va être surprise et toute contente. Elle a été surprise, mais pas contente du tout. Elle est apparue, en chemise de nuit, les cheveux dressés sur la tête et m'a demandé si j'étais fou.

Comme j'aime bien réfléchir en ce moment, j'ai réfléchi un moment avant de lui répondre. Finalement, j'ai dit :

– Ouais, ouais, après réflexion, je conclus que je suis fou de vouloir t'aider à maintenir en ordre cette maison. Je te promets que plus jamais je ne toucherai un aspirateur, une éponge ou un balai.

– Je m'en fiche, tout ce que je veux, c'est que tu nous laisses dormir ! Plus un bruit, jusqu'à ce qu'on te dise de te lever, compris ?

Et elle est repartie se coucher, toujours en chemise de nuit avec les cheveux dressés sur la tête.

J'ai dû attendre de **5 h 42** à **7 h 58** sans rien faire. J'osais à peine respirer. J'ai compté mes doigts de pied, contemplé mon nombril, joué avec ma lampe de poche, essayé de lire un livre à l'envers, à l'endroit, et même hypnotisé mon réveil pour qu'il avance ça m'endort plus vite. À la fin, ça a marché un peu, je crois.

Enfin, mon père s'est levé. J'ai dû encore attendre **17 minutes** mon petit déjeuner ; papa n'arrivait j'avais promis pas à allumer la gazinière, mais je ne l'ai pas aidé.

Ensuite, j'ai voulu prendre ma douche, mais, comme d'habitude, la salle de bains était occupée par ma sœur. J'ai dû patienter **36 minutes**. À 9 heures et demie, maman m'a forcé à l'accompagner au supermarché. Elle avait besoin d'un boy pour pousser le caddie. Résultat : plus de deux heures de perdues. On a fait la queue au rayon boucherie,

au rayon fromage, au rayon poisson et à la caisse.
Au retour, on s'est arrêtés à la boulangerie ; là, **10
minutes** de queue seulement. Mais maman a rencontré une copine que je ne connais même pas et blablabla
blablabla, elles ont bavardé pendant exactement Parce que
21 minutes. Pour m'occuper, j'ai mangé une ba- j'avais
guette entière. Maman m'a réprimandé et m'a rudement fa
envoyé acheter une autre baguette. façon de parler

8 minutes de queue, et un gros type m'a marché sur les orteils.

Je n'avais plus faim et je n'ai touché à rien au repas. Mais les parents m'ont obligé à rester à table.
Encore **41 minutes** de volées.

+ 14 min à attendre que papa ait fini de télépho-
ner avant de m'emmener à l'école de cirque ;

+ 42 min à attendre pendant l'école de cirque ;

Parce qu'on n'a le droit de faire du trapèze
qu'avec un animateur et aujourd'hui
Justine était toute seule.

+ 23 min à attendre papa ; il était pris dans un embouteillage, paraît-il

+ 31 min dans la voiture sur le parking de l'hôpital ;

Papa est allé voir M. Demirel qui s'est cassé le col du fémur
et il n'a pas voulu que je l'accompagne, sous prétexte
que j'allais fatiguer notre vieux voisin ; moi je suis sûr
qu'il aurait été content de me voir.

+ 17 min à nettoyer mes baskets ; je ne vois pas à quoi ça sert.

+ 11 min à chercher mon livre de math ;

Je l'ai trouvé par hasard dans le congélateur ;
heureusement que j'ai eu envie d'une glace.

+ tous les moments que j'ai oublié de compter.

Total : on m'a volé entre **8** et **9 heures** sur une journée de 15 heures environ. Parce qu'à 8 heures et demie, sûr, je serai couché.

Il faudrait que je me fasse rembourser tout ce temps qu'on m'a piqué. Mais comment ?

Record
du mensonge
le plus idiot

C'est bizarre, je suis nul en tout, *paraît-il* mais pas en mensonge. Un jour, par exemple, le téléphone a sonné, j'ai décroché, c'était mamie. J'ai appelé ma mère :
– Maman, c'est le président de la République ! Il voudrait parler à une mère de famille pour l'interroger sur ses difficultés.
Et maman est accourue, tout excitée.

– C'est vrai ? C'est vrai ? Oh, là, là, je suis émue, je ne vais pas oser répondre ! Dis-lui que j'arrive tout de suite, je...

– Elle arrive, j'ai dit au téléphone.

– Mais qu'est-ce qu'elle fait ? a demandé mamie.

– Elle a filé à la salle de bains pour se mettre du rouge à lèvres.

C'est vrai ! Maman est allée se remaquiller avant de répondre au président.

Je lui ai tendu le combiné et, d'une toute petite voix, elle a susurré :

– Allô ? Monsieur le président ? Euh... ah, c'est toi, maman ? Non, euh... je... c'était pour rire, pour rire !

Elle avait cru à ma blague idiote ! Je n'en revenais pas. Elle n'a même pas osé m'attraper, après, elle n'en a plus reparlé.

Aujourd'hui, il m'est arrivé à peu près la même chose. Sauf que c'était un mensonge encore plus incroyable. Je n'aurais jamais imaginé que quelqu'un pourrait me croire, mais si, ils ont tous

marché. Même la prof de SVT. Elle nous a demandé
si on avait des animaux de compagnie. Une dizaine
d'élèves ont parlé de leur chat ou de leur chien.
Martin, lui, élève des poissons et Zoé a un cheval.

mon préféré, c'est le poisson-clown

*À mon avis,
un âne lui irait mieux.*

Et puis la prof m'a interrogé :
– Et toi, Ben ?
Pour m'amuser, j'ai répondu :
– Moi, j'ai des crocodiles nains.
La moitié de la classe s'est marrée, mais il y en a
plein qui ont fait « Oh ! », « Ah bon ? », « Ouais,
génial ! », etc.
– Ce n'est pas possible, a dit la prof, c'est interdit.
Du tac au tac, j'ai répondu :
– C'est provisoire. Un ami de mon père est spé-
cialiste des crocodiles, il travaille dans un centre
d'études spécialisées. Il a ramené les crocodiles
d'Afrique, mais son laboratoire a brûlé, alors il
nous a demandé d'héberger ses crocodiles, parce
que lui il habite un studio. Entre-temps, il est tombé malade, il est à l'hôpital depuis trois mois, il a
un cancer des poumons.

Ça m'est venu comme ça, sans réfléchir. Les mots venaient d'eux-mêmes. Ensuite, ils m'ont tous posé des questions.

– Ils sont grands comment, tes crocodiles ?

J'ai fait un geste vague avec les deux mains.

– Et combien tu en as ?

– Deux, un couple.

– Ils ont des noms ?

– Oui, Zizou et Ziza.

– Qu'est-ce qu'ils mangent ?

Heureusement que j'ai vu récemment un reportage sur les crocodiles nains. J'ai répondu sans hésiter :

– Du poisson, des fruits, des crustacés...

À la fin, tout le monde me croyait. Même Martin. Il m'a demandé :

– Mais pourquoi tu ne me les as jamais montrés ?

– Parce que mon père ne veut pas. Et puis, dès que le laboratoire du centre d'études sera reconstruit, il faudra les rendre. Je ne dois pas m'y attacher, tu comprends...

Comme si on pouvait s'attacher à des crocodiles !
J'ai horreur de ces sales bêtes avec leurs rangées
de dents affûtées comme des poignards. Brrr, rien
que d'y penser, j'en ai des frissons dans le dos.
J'étais la vedette dans la classe, même que j'avais
un peu honte. Mais comment imaginer que
quelqu'un pouvait avaler des bobards pareils ?
Je devrais peut-être écrire des romans…

le 27 mars

DIPLÔME ACCORDÉ À BEN LETOURNEUX

Hou, le menteur ! Aujourd'hui, M. Letourneux junior a obtenu le titre de champion du monde du mensonge idiot. Et ça, c'est vrai ! Le jury conseille au jeune bonimenteur de surveiller la longueur de son nez, qui pourrait bien grandir de quelques centimètres en peu de temps.

Le jury

Record
de l'air bête

Je vais finir par déprimer. Je ne pensais pas battre aussi vite autant de records.

Celui que j'ai battu ce matin dépasse tous les autres. Je n'oserai plus retourner à l'école de cirque. Alors qu'on vient juste de commencer les cours de clown, et c'est pour apprendre à faire le clown que je me suis inscrit à l'école de cirque.

Pas de commentaire, s'il vous plaît.

Depuis le début de l'année, on n'a fait que du jon-glage, du trapèze et de la musique. « Parce qu'un artiste de cirque doit être un artiste complet », dit Justine, la responsable de notre groupe. En réa-lité, c'est parce qu'ils n'avaient pas trouvé de prof de clownerie. Je ne sais pas si ça s'appelle comme ça, d'ailleurs. Mais cet après-midi, quand on est arrivés, Justine nous a annoncé « une surprise ». On a vu arriver un type en jean et pull marin. Je l'ai reconnu tout de suite. C'était le clown du marché. Il s'est avancé, a souri et s'est incliné légèrement. Je me souviens, maintenant, J'étais trop content. D'apprendre l'art du clown. ça se dit Et surtout avec ce type-là. Il m'avait plu tout de comme ça. suite. Il était génial, comme clown, et il avait l'air cool et sympa.

– Je vous présente Lukas, a dit Justine. Lukas avec un K. C'est lui qui va vous donner des cours de... Qui devine quel cours va donner Lukas ?

Je suis plutôt timide, d'habitude, si, si, si, on ne croirait pas, mais c'est vrai. Mais, là, je me suis levé et je suis allé direct serrer la main de Lukas :

– Moi, je sais. Tu es clown, je t'ai vu sur le marché. J'ai adoré ton numéro avec les œufs et les légumes. C'était trop bien. J'étais drôlement ému à la fin, quand tu as fabriqué un oiseau avec les feuilles du chou et que tu l'as laissé s'envoler...

Et comme ça pendant cinq minutes. Lukas me souriait gentiment en hochant la tête de temps en temps. Justine a tenté plusieurs fois de m'interrompre, mais j'étais si bien lancé que j'ai continué mon baratin. Finalement, j'ai dû reprendre mon souffle et c'est là qu'elle a annoncé :

– Merci beaucoup, Ben. Je te signale seulement que Lukas ne parle pas français. Mais ne vous inquiétez pas, il sait très bien se faire comprendre.

Les copains n'en pouvaient plus de rire. Et moi, planté là comme un poireau malheureux, je ne savais plus où me mettre.

Lukas a collé les deux mains sur ses oreilles en secouant la tête. Aussitôt, tout le monde s'est tu. Puis il m'a regardé droit dans les yeux et a soulevé son bras droit. Je n'ai pas compris tout de suite.

açon de parler

Il a baissé son bras, l'a soulevé à nouveau, toujours en me regardant. Alors, j'ai soulevé le bras à mon tour et j'ai imité tous ses gestes.

C'est comme ça qu'a commencé le cours. Pendant deux heures, personne n'a dit un mot. Mais on a parlé avec nos mains, nos yeux, nos pieds, nos corps. Et on s'est compris.

À la fin du cours, je me sentais bien. Léger et content.

J'ai fait le clown. Pour de vrai.

le 31 mars

DIPLÔME ACCORDÉ À BEN LETOURNEUX

La médaille d'or de « l'air naturellement bête »
toutes catégories est attribuée à M. Ben Letourneux,
futur clown et actuel élève au collège Einstein.

Ce n'est pas une blague.

Le dessin ci-dessous représente le lauréat lors de son exploit.

Le jury

Record du mensonge le plus idiot (suite)

Ça ne vaut pas un nouveau diplôme, mais je dois donner une suite à l'histoire des crocodiles nains. Parce qu'elle continue ! Depuis dix jours, elle se développe malgré moi et s'enrichit de nouveaux épisodes. Je pensais que tout le monde avait compris que c'était une blague, mais pas du tout ! Par exemple, avant-hier au collège, j'ai croisé deux types de quatrième, le frère de Martin et un de ses copains, et ils m'ont demandé des nouvelles de mes crocodiles ! Sérieux ! Ils voulaient acheter un des bébés crocodiles ! Ah oui, parce qu'entre-temps Zizou et Ziza ont eu des petits. Trois : Zozo, Zazou et Zoula ! Bien sûr, c'est une pure invention, mais tout le monde y croit ! N'importe quoi !

Aujourd'hui, j'ai annoncé que le laboratoire du centre de recherches venait les récupérer, sinon quelqu'un finira bien par s'apercevoir de la super-cherie. Hier soir, Line a raconté à table qu'au col-lège on m'appelait « l'éleveur de crocodiles ». Elle a pris ça pour une plaisanterie, heureusement, et s'est payé ma tête. Mais j'ai compris que ça sentait le roussi et qu'il fallait que je me débarrasse très vite de « mes » crocodiles.

RECORD
DU SILENCE

en chocolat au lait de préférence

Je mérite non seulement un diplôme, mais une médaille. Je n'ai pas dit un mot pendant exactement 51 heures et 33 minutes. Volontairement ! Je sais qu'il y a des moines qui font vœu de silence, alors évidemment je ne suis pas près de battre leur record. Mais moi, je ne suis jamais resté muet aussi longtemps et, si ma sœur ne m'avait pas provoqué, j'aurais sûrement pu tenir encore plusieurs jours. Il y a à peine une heure, elle est entrée comme une furie dans ma chambre, un vieux T-shirt à la main et m'a traité de tous les noms parce que je l'avais utilisé pour nettoyer mon vélo. Je croyais que c'était un chiffon ! Il traînait dans le garage et jamais je n'aurais imaginé que quelqu'un pouvait enfiler cette horreur !

Elle m'a traité de « Espèce de rat », « Débile », « Voleur », « Minus », « Catastrophe ambulante » et d'autres qualificatifs que la convenance m'interdit de transcrire. *On ne sait jamais : ce livre, bien qu'interdit à la lecture, pourrait tomber dans les mains innocentes d'un bambin de moins de 10 ans.*

Il a bien fallu que je réponde. J'ai été gentil, je me suis contenté de la traiter de « Vieille casserole cabossée », de « Grosse saucisse périmée » et de « Mocheté pleine d'acné ». Pour le coup, ça l'a fait taire, parce que c'est la vérité vraie. Elle, elle va battre le record mondial de boutons d'acné si ça continue. Elle est repartie en courant et en claquant la porte tellement fort que mon poster d'Achille Zavatta est tombé par terre.

C'est Lukas qui m'a donné l'idée du record de silence. Pendant ses cours, on ne parle pas. Quand il veut nous expliquer quelque chose, il dessine sur de grandes feuilles blanches. Parfois, mais rarement, il écrit quelques mots. Par exemple : «Parlez avec votre corps ! » Ou bien : « Écoutez le silence ! » S'il fait des fautes de français, il veut qu'on le corrige.

On n'est plus que six à son cours ; les huit autres préfèrent continuer l'acrobatie avec Justine. C'est mieux, parce qu'avec Lukas, il faut être très concentré. La dernière fois, on devait raconter une histoire seulement avec les mains, en se plaçant derrière un paravent percé d'un grand trou.

Moi, j'ai imaginé que la main droite et la main gauche d'un pianiste étaient jalouses l'une de l'autre et voulaient chacune être la vedette. Alors elles se poussaient, elles se montaient dessus, etc. Au début, tout le monde riait, mais à la fin c'était trop long. Je ne savais pas comment terminer.

Comme d'habitude, Lukas n'a pas fait de commen-

taire. Il a pris mes deux mains dans les siennes
et les a serrées. Pour m'encourager, je suppose. *non, j'en suis sûr*

Ensuite, il est venu me rejoindre derrière le paravent, il a placé ses mains à côté des miennes et m'a
donné un petit coup de coude pour que je recom-
mence à « jouer » du piano. Et lui a joué avec moi,
comme deux pianistes qui jouent à quatre mains
et n'arrêtent pas de se chamailler.

À la fin, il m'a regardé et a levé le pouce pour dire
« c'est bien », je suppose. *non, j'en suis sûr*

En sortant de l'école de cirque, je n'avais plus envie
de parler. Quand je suis rentré à la maison, je suis
monté directement dans ma chambre sans rien
dire à personne. Apparemment, ça n'a pas déran-
gé mes parents. Ni ma sœur. Le soir au repas, ils ne
se sont même pas aperçus que j'étais muet. Eux,
ils me cassaient la tête, ils parlaient tous à la fois,
ne s'écoutaient même pas. Moi, je les observais.
Surtout leurs mains. C'est fou ce que ça raconte,
des mains.

Ensuite, j'ai collé une pancarte sur ma porte :

« PENSEUR AU TRAVAIL ! NE PAS DÉRANGER ! »

Pour être sûr qu'ils me fichent la paix, j'ai ajouté en plus petit : « Bonne nuit ! » J'ai entendu ma sœur rigoler en passant mais, au moins, elle n'est pas entrée dans ma chambre.

Le lendemain, ça s'est passé bien plus facilement que je pensais. À la maison, le matin, chacun est dans sa bulle, encore à moitié endormi. Et au collège, si tu ne dis rien, ça se remarque à peine. On te laisse tranquille dans ton coin, comme si tu n'existais pas. Quand un prof t'interroge, si tu restes muet trois secondes, il interroge aussitôt un autre élève. Martin est le seul à avoir remarqué quelque chose. À la récréation, il n'arrêtait pas de me poser des questions. Alors, j'ai sorti le cahier de brouillon et j'ai écrit : « Désolé, j'ai une extinction de voix. » Ce n'était pas vraiment un mensonge : j'avais décidé d'éteindre ma voix. Et de battre un record.

Je ferai mieux la prochaine fois, sûrement.

le 10 avril

DIPLÔME ACCORDÉ À BEN LETOURNEUX

Nous confirmons que pendant exactement 51 heures et 31 minutes, M. Letourneux Ben a épargné nos oreilles. *Ce qui, pour lui, constitue un record d'abstinence verbale.* Nous encourageons vivement le lauréat à renouveler son exploit le plus souvent possible.

Le jury

Record
de chaussettes
inutilisables

Mon père, ce matin, en me croisant dans l'escalier :
– Ben, tu as vu tes chaussettes ? Des chaussettes
vert pomme avec un jean et des baskets rouges.
Tu as l'air d'un clown !
Je l'ai pris comme un compliment. De toute façon,
j'ai enfilé la première paire de chaussettes en bon
état que j'ai trouvée. Je devrais dire : la seule paire.

Car, après la réflexion de mon père, j'ai entrepris de faire le tri dans le tiroir à chaussettes. Résultat :
– sept chaussettes célibataires ;
– huit chaussettes trouées ;
– deux chaussettes autrefois blanches devenues rose sale et impossibles à mettre ;
– un paquet de chewing-gums ; hélas vide
– une carte postale de grand-mère Annie quand elle était en Irlande ;
– le devoir d'allemand que j'ai cherché partout parce que je devais le faire signer à mes parents ;
    J'avais une très bonne note en plus.
– une photo de ma sœur déguisée en grenouille ;
– un pièce de un centime d'euro ;   ça lui va bien
– une robe de poupée. Qu'est-ce qu'elle vient faire là ?
C'est tout. J'ai décidé de garder mes chaussettes. Et demain je mettrai deux chaussettes dépareillées. Tant mieux si on me prend pour un clown.

le 17 avril

DIPLÔME ACCORDÉ À BEN LETOURNEUX

Le jeune va-nu-pieds susnommé peut s'honorer
du titre de plus grand « dépareilleur de chaussettes »
dans un rayon de 21 km autour de son domicile.

Le jury

Record de crottes, chewing-gums et autres saletés collées sous les semelles

Si j'avais oublié ce que j'ai fait aujourd'hui, il me suffirait de regarder les semelles de mes baskets : on peut y lire le résumé de ma journée, sous forme... collante et odorante !

Vers 10 heures, je suis allé au marché. Sans ma mère. Je voulais voir Lukas, car je savais qu'il présenterait de nouveaux sketchs.

J'ai d'abord fait les courses demandées par ma mère : carottes, poireaux, pommes de terre et un — *une tonn...* kilo de comté. Quand je suis arrivé devant le musée, Lukas avait commencé son numéro.

Il était vêtu d'une salopette blanche et d'une chemise à carreaux. Il avait aussi un escabeau, un seau, une éponge et des chiffons. Lukas n'est pas un clown traditionnel, ni un clown blanc, ni un auguste. Il a créé son propre personnage, un clown distrait, fragile, gentil, toujours étonné.

Dans son nouveau numéro, il joue un laveur de vitres. Il pose le pied sur l'escabeau et, à la façon dont il grimpe, on le voit monter les étages d'une tour immense ; quand il arrive tout en haut, on a le vertige avec lui. Il s'aperçoit qu'il a oublié son seau, et il doit redescendre. L'histoire est très simple, mais il arrive sans arrêt à nous surprendre et à nous faire rire.

Tout à coup, il s'est tourné vers moi et m'a fait signe d'approcher. J'ai laissé mon panier et je l'ai rejoint. Il m'a tendu le seau, m'a fait comprendre que je devais aller chercher de l'eau. Pour m'amuser, j'ai d'abord refusé. Il a pris l'air étonné, triste, fâché. Tout le monde riait. Alors, je suis parti avec le seau. Mais au lieu de le remplir d'eau, j'y ai mis un poireau et une pomme de terre. Sans s'étonner, Lukas a remonté tous ses étages, a essayé de laver les vitres avec les légumes, est redescendu, m'a pris sur ses épaules, et s'est servi de moi comme éponge. Le public était écroulé. À la fin, Lukas m'a fait saluer avec lui et c'est moi qui ai passé le chapeau dans le public. Sans rien dire, Lukas m'a serré longuement la main et m'a donné cinq pièces de deux euros.

Après on est allés boire un café et un jus de pomme à la terrasse d'un bistro. J'ai raconté à Lukas l'histoire de la femme que j'ai prise pour ma mère, le jour où je l'ai rencontré pour la première fois. Il n'a pas ri. Et n'a rien dit. D'ailleurs, il n'a pas prononcé un mot. Je crois qu'il s'entraîne. Je suis sûr qu'il peut rester une semaine entière sans parler.

De temps en temps, il faisait des gestes avec ses mains et ses bras, très vite, et j'arrivais toujours à comprendre. Enfin, je crois.

Quand je suis rentré à la maison, j'étais tellement content que, malgré les tonnes de pommes de terre et carottes, le panier me semblait léger.

Ah, et les crottes, les chewing-gums et autres trucs collants ? Eh bien, je n'en ai pas raté un à l'aller et au retour. À croire que mes pieds étaient aimantés. Mais bon, je suppose que personne ne s'intéresse aux détails, n'est-ce pas ?

le 21 avril

DIPLÔME ACCORDÉ À BEN LETOURNEUX

Le jury revêtu d'une combinaison de survie

a contrôlé l'état des semelles de BL

et atteste qu'il a marché sur un nombre record

de déjections animales, gommes à mâcher nom français
du chewing-gum

et autres substances répugnantes, nauséabondes et collantes.

Le jury

Record
de la fiche
de lecture
la plus débile
et la mieux notée

En réalité, ce n'est pas moi qui ai battu le record, c'est ma prof de français. Mais c'est moi qui ai rédigé la fiche de lecture, alors je mérite la moitié du diplôme.

le 24 avril

MOITIÉ DE DIPLÔME ACCORDÉ
À BEN LETOURNEUX

Record de la fiche de lecture la plus stupide,
inepte et saugrenue partagée entre Mme Adélaïde Raminey,
professeur de français au collège Einstein,
et M. Ben Letourneux, élève de 6ᵉ B dudit collège.

Le jury

Une fois par mois, on doit lire un livre, le résumer et donner un « avis personnel ». Une vraie

très important!

torture. Les premières fois, je me suis appliqué et j'ai eu des mauvaises notes accompagnées de commentaires du genre : « confus », « pas assez précis », « analyse superficielle », etc. Alors, j'ai décidé de ne plus me fatiguer.

Comme on a le droit de choisir n'importe quel roman du CDI, j'en ai choisi un qui s'appelle *Le cirque de tous les dangers*. Je croyais qu'il s'agissait d'une histoire dans un cirque, peut-être avec des clowns. Pas du tout, c'était une histoire d'alpinistes au cirque de Gavarnie. J'ai arrêté de lire après deux paragraphes parce que l'alpinisme, ça me donne le vertige. Et je me suis inventé l'histoire que j'aurais aimé lire :

Dans un cirque de renommée internationale, un clown tchèque, Lukas Vasel, recueille Benjamin, un adolescent en fugue qui a fui l'internat où il a été enfermé après la mort de ses parents, assassinés par des trafiquants d'armes. Les parents de Ben, en effet, travaillaient pour une ONG luttant contre le trafic illégal d'armes dans le monde entier. Lukas apprend l'art du clown à Benjamin et tous les deux montent un numéro qui remporte très vite un grand succès. Ils sont sélectionnés pour le festival international du cirque de Monte-Carlo, mais les trafiquants d'armes retrouvent la piste de Benjamin et veulent l'enlever. Lukas fait appel à ses amis du cirque pour sauver Benjamin. Le dompteur, en particulier, le cache parmi ses fauves... Etc., etc.

J'ai continué comme ça sur une page et demie en écrivant vraiment ce qui me passait par la tête. Ensuite, j'ai rédigé mon « avis personnel » :

Ce roman est passionnant du début à la fin. Il nous introduit dans l'univers du cirque et, en même temps, nous sensibilise au problème du trafic illégal d'armes qui nourrit les guerres dans de nombreux pays. J'ai beaucoup aimé le personnage du clown Lukas parce qu'il est courageux, intelligent et parce qu'il est très patient quand il initie Benjamin à l'art du clown. Je me suis identifié à Benjamin qui, au début du roman, est vraiment triste et déprimé, mais trouve en Lukas un ami et un maître. Je conseille à tous mes camarades de lire ce roman plein d'action et d'émotion, mais non dépourvu d'humour.

« Introduit », « sensibilise », « identifié », « non dépourvu d'humour », ce sont des mots et des expressions dont raffole la prof de français. Elle aime beaucoup aussi « psychologie des personnages » et « construction temporelle », mais je n'ai pas réussi à les placer.

Pas grave. J'ai eu $19/20$ à ma fiche de lecture ! C'est la preuve que la prof ne lit pas les romans qu'elle nous force à lire. C'est aussi la preuve qu'écrire un roman, ce n'est pas très compliqué.

RECORD DE SOURIRES

Aujourd'hui, j'ai souri à 56 personnes. Un vrai sourire : en les regardant dans les yeux et en essayant de garder le contact le plus longtemps possible.

C'est un exercice que m'a donné Lukas au dernier cours. Il a distribué à chacun un papier plié en quatre. Sur le mien, il était écrit :

Pendant une jour entière, toi sourit à les gens que tu rencontre.
Important : regarder les bien dans les oeils et toi parler pas.

C'est un peu drôle avec les fautes de français, mais Lukas a une belle écriture ; il trace des lettres bien rondes qui dansent sur la feuille de papier.

C'était donc ma journée sourire aujourd'hui. J'ai commencé par mes parents, au petit déjeuner, mais ils n'ont rien remarqué. Je n'arrivais pas à accrocher leur regard. On aurait dit qu'ils n'étaient pas bien allumés. Ensuite, j'ai souri aussi à ma sœur. Elle a réagi au bout de trois minutes au moins.

– Pourquoi tu me regardes avec cet air bête ? a-t-elle grogné.

– Parce que je t'aime, ma grande sœur chérie, ai-je répondu sans cesser de sourire.

À mon grand étonnement, elle ne s'est pas éner-vée, mais m'a souri de toutes ses dents. —— et de tout son appareil dentaire

J'ai eu du mal à garder mon sérieux.

C'est plus difficile de sourire à des gens qu'on ne connaît pas. Dans le bus, j'ai souri à la femme assise en face de moi. D'abord, elle a détourné le regard. Quand elle a vu que je continuais à la fixer en souriant, elle s'est concentrée sur son journal, mais je sentais bien qu'elle n'était pas tranquille. Au bout d'un moment, elle a baissé le journal et m'a demandé, pas très aimable :

– Qu'est-ce que tu veux ?

– Vous souhaiter une bonne journée, ai-je répondu le plus gentiment possible.

– Arrête immédiatement tes âneries, sinon j'appelle le conducteur !

J'ai viré au rouge tomate bien mûre et j'ai regardé par la fenêtre jusqu'à la fin du trajet.

Au collège, j'ai souri à tous ceux que j'ai croisés, mais sans grand succès. Sauf avec Teodora, une surveillante. C'est la plus sympa, de toute façon.

– Salut, Ben-les-beaux-yeux. Tu m'as l'air en forme *c'est comme ça qu'elle m'appelle* aujourd'hui ! Mais n'essaye pas de m'hypnotiser, mon cœur est déjà pris !

J'ai souri aussi au principal, mais il m'a regardé comme si j'étais transparent. Heureusement que c'est la « semaine du respect-partage prof-élèves » ! Les murs du collège sont couverts d'affiches et de banderoles. Une en particulier proclame en toutes lettres :

Le sourire coûte moins cher que l'électricité, mais donne autant de lumière.
Abbé Pierre

Monsieur le principal doit avoir une panne de courant.

En sport, le prof m'a ordonné de cesser immédiatement mes « grimaces simiesques ». Autrement dit : de sourire comme un singe.
Mais la dame de la cantine a répondu à mon sourire et m'a donné double ration de dessert. Dans le bus du retour, un petit garçon m'a souri quand je me du flan au caramel, suis assis en face de lui. Il était dans les bras de sa j'adore mère, une jeune femme en sari. J'ai répondu. Il m'a tendu le jouet qu'il avait dans la main, une girafe en plastique. J'ai souri aussi à sa mère et elle a engagé la conversation. J'ai appris qu'elle venait du Sri Lanka et qu'elle habitait en France depuis huit ans avec son mari. Il est ingénieur en informatique. Le petit garçon il s'appelle Milan a voulu grimper sur mes genoux. J'ai demandé à la jeune femme si elle allait

au marché, parfois. Je lui ai donné rendez-vous samedi prochain devant le musée. Je suis sûr que Milan aimera le numéro de Lukas.

En fin d'après-midi, avec maman, je suis allé voir M. Demirel à l'hôpital. J'ai souri à toutes les infirmières et aides-soignantes ; une seule a détourné le regard. Quand il m'a vu, M. Demirel a eu un petit sourire triste qui m'a serré le cœur.

– Tu sais, Ben, je ne retournerai peut-être plus chez moi. Les médecins me conseillent d'aller dans une maison de retraite.

Il a pris ma main et l'a serrée un long moment.

– Il ne faut pas vous laisser abattre, monsieur Demirel, a dit maman.

Il ne lui a pas répondu. Il a lâché ma main, m'a fixé droit dans les yeux.

– Ben, je voudrais te faire un cadeau. Si ta maman accepte, bien sûr. J'ai un vieux saxophone. C'est mon frère aîné qui me l'avait donné, pour mes quinze ans. J'aimerais qu'il soit à toi. Il est dans le placard du couloir, au premier étage.

J'ai regardé maman. Elle a hoché la tête. La gorge nouée, j'ai marmonné :

– Merci. Merci beaucoup.

J'étais super content. Et super ému en même temps. Un jour, quelque temps après la mort de sa femme, M. Demirel m'avait montré son saxophone. Il l'avait sorti de son étui, l'avait astiqué, avait nettoyé l'embouchure, et puis il avait joué une musique très triste, très belle.

De tout mon cœur, j'ai souri à M. Demirel. Mon plus beau sourire de la journée, j'espère. Et j'ai dit :

– J'apprendrai à en jouer, monsieur Demirel. Je vous promets.

Voilà, j'ai dessiné 56 smileys. Ouf !

le 3 mai

DIPLÔME ACCORDÉ À BEN LETOURNEUX

Souriez pour la photo !

Ben Letourneux

a battu aujourd'hui le record SMILE !

Le jury

En vérité, je n'ai pas compté les personnes à qui j'ai fait risette : 56 est un nombre vraisemblable. J'avais mal aux muscles des joues, à force. Ça prouve que je ne souris pas assez, habituellement. Au début, ce n'était pas facile de regarder les gens dans les yeux, et puis, peu à peu, ça m'a semblé normal, nécessaire. C'est cela, sûrement, qu'a voulu me faire comprendre Lukas.

Seulement, j'imaginais qu'il suffisait de sourire pour rendre les gens souriants, mais c'est plus compliqué. Il faudrait qu'ils suivent tous des cours avec Lukas et apprennent à parler moins et regarder plus.

Quand même, c'est une bonne journée : j'ai rencontré Milan et sa maman. Et M. Demirel m'a donné son saxophone. Je vais apprendre à en jouer.

J'ai promis.

RECORD DE FAUSSES NOTES

Hier soir, quand on rentrait de l'hôpital, j'ai harcelé maman pour qu'on aille chercher tout de suite le saxophone de M. Demirel. Elle a fini par céder. Je l'ai trouvé sans problème, dans le placard du premier étage. Il était enfermé dans un étui un peu craquelé. Je l'ai rapporté à la maison et je l'ai frotté avec un chiffon spécial que m'a prêté maman. Maintenant il brille, il est magnifique. Avant de m'endormir, je l'ai posé sur une chaise à côté de mon lit.

Je me suis réveillé tôt. Je voulais l'essayer sans tarder. Sur Internet, j'ai trouvé des cours de saxophone en ligne. Il faut d'abord apprendre à bien serrer l'embouchure avec les lèvres. Pour trouver la position juste, on s'entraîne à dire « FOU » plusieurs fois. On replie légèrement la lèvre inférieure pour former un « coussinet » sur lequel va reposer l'embouchure. Hou là là, pas simple ! Et ensuite ? On souffle !

C'est ce que j'ai fait. De toutes mes forces. Un son perçant a résonné dans la maison, traversé les murs, mis en vibration les objets métalliques de *chambre* la maison. Et déclenché à droite comme à gauche *de ma sœur* des braillements synchronisés. *chambre des parents* Sans y prêter attention, j'ai soufflé à nouveau, en essayant de tenir le son le plus longtemps possible. La porte de ma chambre s'est ouverte brusquement et le trio infernal s'est précipité sur moi en hurlant : *père, mère, sœur, tous les trois échevelés et dépenaillés*
— Arrête ça immédiatement, c'est horrible ! T'es dingue ! Je vais le tuer !!!!

– Ah bon ? ai-je fait, surpris. Vous n'aimez pas le saxophone ?

S'en est suivie une discussion assez mouvementée. Finalement, j'ai été autorisé à m'exercer chez M. Demirel, ce qui n'est pas pratique parce qu'il n'y a pas de connexion Internet.

Pas grave. Je me suis entraîné toute la matinée et j'arrive à jouer un air qui ressemble à *Sur le pont d'Avignon*, à part quelques notes qui rappellent plutôt *Maman les p'tits bateaux qui vont sur l'eau*. Et quelques autres aussi, il faut être honnête, qui ne ressemblent à rien.

En tout cas, je mérite un diplôme. Je crois que personne n'a produit autant de fausses notes en si peu de temps.

le 4 mai

DIPLÔME ACCORDÉ À Ben Letourneux

Pour avoir établi le record
de fausses notes émises
un beau jour de mai sans avoir
provoqué aucune perturbation
météorologique notable.

Le jury

Cet après-midi, j'ai apporté le saxophone à l'école de cirque et j'ai joué ma version personnelle de *Sur le pont d'Avignon* pendant l'atelier de clown. Les autres se sont bouché les oreilles. Mais pas Lukas. À la fin du morceau, il m'a fait signe de lui prêter le saxo, et il a joué un air de danse tchèque. Ensuite, il est allé chercher d'autres instruments et on a improvisé tous ensemble un numéro sur le thème : « L'impossible orchestre ».

Après le cours, Lukas m'a appris un air très facile avec trois notes seulement. En partant, il m'a montré le saxo, puis a pointé le doigt sur son torse et a hoché la tête. J'ai compris : il me proposait de me donner des cours de saxo. J'ai dit oui, bien sûr, et même : « Oh ouais, super ! »

En rentrant de l'école de cirque, j'ai croisé Milan et sa maman. Quand il a vu le saxophone, Milan est resté bouche bée. Il n'osait pas le toucher. Je lui ai montré comment on soufflait dedans, mais avec ses petits poumons, il n'en sortait que des « pouet pouet ! » riquiqui.

Ça prouve qu'il faut un certain talent pour faire des fausses notes.

RECORD DES BLEUS DE TOUTES LES COULEURS

Tout nu devant le grand miroir de la salle de bains, j'ai compté : **21**. Pas mal pour une seule journée. Et puis, je me suis cogné le coude contre le lavabo en me contorsionnant pour mieux m'examiner, ce qui a porté le record à **22**.

22 bleus = 19 coups et 3 pincettes.

Les pincettes, c'est ma soeur, naturellement, parce que j'ai découvert un énorme bouton sur son front et parce que j'ai eu le malheur de dire que son « fiancé » actuel postillonnait tellement qu'à lui seul il pouvait arroser le gazon devant la maison.

En examinant *Avec une loupe trouvée chez M. Demirel.* scientifiquement les bleus, j'ai découvert qu'ils n'étaient pas bleus, mais, selon leur état de mûrissement, verdâtres, jaunâtres, noirâtres, avec quelques touches de rouge et de violet. Voici la liste des bleus pas bleus. Âmes sensibles s'abstenir.

Face

1. **Front** : choc dans le bus contre une barre d'appui.

2. **Coquart sur l'œil droit** : balle de handball prise en pleine poire.

3/4. **Épaule droite** : chute d'une pile de livres dans la maison de M. Demirel.

5, 6 et 7. **Bras gauche** : « pincettes » effectuées *en tournant* par ma sœur Line. *La vache, elle pince toujours au même endroit pour que ça fasse encore plus mal.*

8. **Abdos** : coup de boule reçu dans la cour ; deux types de troisième se bagarraient au moment où je passais ; le plus petit a envoyé valser le plus grand et c'est moi qui ai arrêté sa course.

J'écris « abdos » parce que ça fait plus chic. On pourrait dire aussi : « gras du bide » (même si je ne suis pas gros, je le répète).

9, 10, 11, 12. Bleus divers sur les **jambes** provoqués par une chute dans l'escalier.

J'ai raté une cabriole en glissant sur le tapis.

Dos

13. Épaule gauche : porte du camion frigorifique d'un marchand de fromages alors que je marchais tranquillement sur le trottoir. Tout embêté, le livreur m'a offert un munster délicieusement **odorant**.

14 et 15. Bas du dos : résultats d'une chute en cours d'histoire (je m'entraînais à tenir en équilibre sur deux pieds de chaise ; record battu : 19 minutes).

16. Fesse droite : glissade sur le carrelage de la cantine (j'ai atterri sur un petit-suisse écrasé).

17, 18 et 19. Jambes : voir 9, 10, 11, 12.

20. Mollet droit : un roquet déchaîné m'a attaqué par surprise devant la boulangerie.

21. Mollet gauche : erreur de freinage d'un fauteuil roulant à l'hôpital (je suis passé voir M. Demirel).

22. Coude gauche : voir plus haut.

Résultat : je pue l'arnica et la lavande, remèdes réputés infaillibles dont maman m'a badigeonné de haut en bas.

À part ça, c'était une journée éreintante. M. Demirel est transféré demain à la maison de retraite et il nous a demandé de vider sa maison, pour pouvoir la louer. Il a fait des listes de ce qu'il veut garder, de ce qu'il veut donner à l'association Emmaüs, de ce qu'il veut vendre, de ce qu'il veut donner. Il nous reste encore le premier étage à débarrasser. Parmi les livres qui me sont tombés sur la tête, il y en avait deux sur le cirque. Je vais demander à M. Demirel s'il veut bien me les vendre.

C'était bizarre de fouiller dans ses affaires.

– Je ne sais pas pourquoi, ça me déprime, a dit maman en rangeant dans des cartons des piles de draps.

Moi aussi, je crois bien.

le 10 mai

DIPLÔME ACCORDÉ À BEN LETOURNEUX

Après consultation publique, l'Académie de médecine
constate sur le corps relativement musclé
de Ben Letourneux le nombre record ⸺ pour lui
de 22 hématomes, contusions et ecchymoses
et propose un signalement auprès des services sociaux
en raison d'une suspicion de maltraitance.

~~Le jury~~ L'Académie de médecine

Record
De trucs bizarres
Que j'ai failli
Avaler pendant
Une journée

C'est incroyable ce qu'on avale sans le savoir ! Je ne parle pas des produits chimiques dans les aliments industriels. Ils ne sont pas secrets, eux, suffit de lire la liste des ingrédients sur les paquets : hydroxybenzoate d'hépthyle, hexaméthylènetétramine et palmitate d'ascorbyle, c'est appétissant et poétique, n'est-ce pas ?

Ne croyez pas que je vous demande votre avis, vous qui lisez ce livre alors que vous n'y êtes pas autorisé !

Non, je parle des intrus qui atterrissent sans prévenir dans votre assiette. Ou dans votre bol. Au petit déjeuner, j'ai aperçu une espèce de fil blanc dans mes céréales Chocoloulou. Je l'ai saisi entre mes doigts et l'ai posé sur la table. **Beurk.**

Sans vouloir faire de publicité : si vous m'envoyez cinq étiquettes découpées dans une boîte de Chocoloulou, je vous laisserai (peut-être) lire une page de ce livre top secret.

    — C'est un de tes poils de nez, ai-je dit à Line qui buvait son jus de betterave matinal. *Paraît que c'est bon pour l'acné.*

Au lieu de me traiter de toutes sortes de noms d'oiseaux comme je m'y attendais, elle s'est penchée vers la chose, l'a retournée du bout de son couteau, l'a examinée longuement et a déclaré :

— C'est un cheveu !

— Un cheveu de l'emballeuse de Chocoloulou, alors, parce qu'il est blond, et personne n'est blond dans la famille.

— Non, c'est un cheveu blanc. C'est toi qui as préparé ta bouillie ?

— Quelle bouillie ?

— Tes céréales.

– C'est des Chocoloulou ! ai-je répliqué, indigné.

– Réponds à la question, tête de louf ! Qui a préparé ta pâtée pour chat ?

– Maman.

Elle a appelé « Maman ! » une dizaine de fois jusqu'à ce que ma pauvre mère apparaisse, en peignoir, à moitié maquillée, les cheveux retenus sur la tête par une grosse pince. Line lui a mis le cheveu sous le nez.

– Tu as des cheveux blancs !

– Je sais, a soupiré maman. C'est parce que vous me donnez trop de soucis...

– Ok, j'ai dit, mais ne les laisse pas traîner dans mes Chocoloulou, s'il te plaît.

Je me rends compte que c'est beaucoup d'histoire pour un cheveu. Si je continue pour chaque cochonnerie que j'ai failli avaler aujourd'hui, je vais écrire un roman, et ce serait du temps perdu puisque ce livre ne tombera jamais sous les yeux de personne. On va donc se contenter d'un résumé.

Compris ?

Liste des aliments surprenants et dégoûtants qui ont manqué pénétrer dans mon estomac :

– un cheveu blanc maternel dans un bol de Chocoloulou ;

– une mouche *suicidaire* dans un verre de jus de pomme ;

– un timbre **oblitéré** collé sur le morceau de croissant offert par mon copain Martin ;

– un tout petit caillou blanc dans une galette aux céréales bio ;

– un morceau de plastique orange dans la salade de carottes de la cantine ;

Je l'ai aperçu IN EXTREMIS.

– plusieurs ingrédients inhabituels dans le steak haché : fragments d'os, grains jaunes non identifiés, filaments de provenance inconnue ;

Nerfs ? lacet ? ficelle du string du cuisinier ?

– une feuille morte dans la salade verte ; *Je le reconnais, c'est banal.*

– une fourmi dans le verre de thé glacé que m'a offert Lukas après notre cours de saxophone ;

– un sparadrap *emballé* dans la boîte de petits gâteaux que m'a donnée M. Demirel quand on est passés le voir à la maison de retraite ; à ma grande surprise, il s'y plaît beaucoup ; sa grande copine, c'est la tante Rosie, la vieille tante de papa ; ils jouent aux cartes ensemble pendant des heures ; il paraît aussi que tante Rosie a un immense répertoire de blagues un peu osées ;

« Je ne peux pas te les raconter, d'abord parce que je les oublie aussitôt, ensuite parce qu'elles ne sont pas pour des oreilles innocentes. » M. Demirel

– une coquille d'œuf dans la quiche aux poireaux de ce soir ;

– une chose marron non identifiée dans mon bol de fromage blanc ; d'après moi, une crotte de rat géant ; Line prétend que c'est une pépite de chocolat qu'elle a laissée tomber par inadvertance ; pourtant, elle n'a pas voulu la manger.

Bon, ça, c'est la liste des trucs immangeables que je n'ai **PAS** avalés parce que je les ai repérés à temps. Je n'ose imaginer ce que j'ai ingurgité sans le savoir. OUPS !

Je viens d'avaler un morceau du capuchon de mon stylo. Je le rongeais sans y penser...

le 15 mai

DIPLÔME ACCORDÉ À BEN LETOURNEUX

Le service sanitaire de la ville de Brezanloux-sur-Saône
atteste que M. Letourneux Ben,
né un jour, à quelque part,
a failli ingurgiter, en une seule journée,
un nombre record de substances absolument
impropres à la consommation.

mais indéterminé

Le jury
Antoine Duponsel,
directeur général du service sanitaire
de la ville de Brezanloux-sur-Saône.

RECORD DU TYPE LE PLUS LONG À LA DÉTENTE

Cette fois, il faudrait que je me fabrique un diplôme dix fois plus grand que les autres, de la taille d'un panneau publicitaire au moins !

Je suis bien obligé de le reconnaître : je suis nul, archinul ! Comment ai-je fait pour ne pas comprendre ? C'était évident et je n'ai rien vu, rien capté ! Il manque sûrement quelques connexions dans mon cerveau...

le 28 mai

DIPLÔME ACCORDÉ À BEN LETOURNEUX

Pour avoir été particulièrement long à la détente
et ne pas avoir vu ce qui lui crevait les yeux.

Ce diplôme est accompagné
d'un bon pour une visite chez un psychologue
et d'un bon pour une consultation
gratuite auprès d'un opticien.

BON POUR
UNE VISITE
GRATUITE

Cet après-midi, maman et moi, nous sommes allés voir M. Demirel. Il n'était pas dans sa chambre quand nous sommes arrivés.

– Il participe à l'atelier d'« expression corporelle », nous a indiqué l'infirmière. Vous pouvez le rejoindre, c'est au rez-de-chaussée.

Nous sommes descendus dans la salle d'activités, j'ai discrètement poussé la porte et nous nous sommes faufilés au dernier rang. Une dizaine de personnes âgées participaient à l'atelier tandis que d'autres étaient seulement spectateurs. L'animateur était de dos, mais je l'ai reconnu aussitôt : Lukas. Par gestes, il expliquait quelque chose à une vieille dame coiffée d'un chapeau à voilette. Il m'a fallu un moment pour m'apercevoir que c'était tante Rosie. M. Demirel, lui, était assis sur le côté, un livre à la main. Chaque participant devait composer un personnage à partir d'un unique accessoire. Et sans prononcer un mot. C'est un exercice que nous avons fait avec Lukas, à l'école de cirque.

À la fin, Lukas a sorti son accordéon miniature et joué des airs entraînants. Ensuite, il a salué tout le monde et a disparu. Je ne sais pas s'il m'a vu.

Pendant que maman papotait avec tante Rosie, j'ai raccompagné M. Demirel dans sa chambre. Il a toujours du mal à marcher, mais il refuse de prendre une canne. Plusieurs fois, il a dû s'appuyer sur mon épaule.

Je lui ai parlé des livres sur le cirque.

– Mais bien sûr, je te les donne. J'adorais le cirque quand j'étais jeune. C'est comme ça que j'ai connu Sylvette, d'ailleurs, à une représentation du cirque Medrano…

– Et Lukas, vous le trouvez comment ?

– Le clown ? Oh, ça fait seulement deux fois que je participe à l'atelier. Oui, oui, il est très sympathique, ce jeune, et on ne peut pas dire qu'il cause beaucoup…

– C'est fou, hein ? À l'école de cirque, pendant son cours, il ne prononce jamais un mot ; pourtant, on comprend tout ce qu'il veut dire.

M. Demirel m'a regardé en fronçant les sourcils.

– C'est normal, non ?

– Normal ? Pourquoi ?

– Ben, il est muet !

Boum ! C'est comme si j'avais reçu une bûche sur la tête. Lukas ? Muet ?

– Qui vous l'a dit ? ai-je balbutié.

– La directrice, quand elle nous a présenté l'atelier. Il est muet, mais pas sourd. Ce n'est pas de naissance. Il a eu un accident quand il était adolescent... Tu ne savais pas ?

Eh bien non, je ne savais pas. Mais j'aurais pu, j'aurais dû comprendre. C'était évident. Et je n'ai rien capté. Je me sentais bête, bête, bête. Et un peu trahi. Oui, trahi. Parce qu'on ne m'a rien dit. Même si j'aurais pu, j'aurais dû comprendre...

Je n'ai pas battu de record aujourd'hui, mais j'ai quand même envie d'écrire quelque chose. Après tout, c'est **MON** livre, je fais ce que je veux.

Du moins je ne m'en suis pas aperçu.

Au fait, je me demande si je ne devrais pas fabriquer un système d'autodestruction pour MON livre : dès qu'il est ouvert par des mains étrangères, pfft, il se réduit en poussière. Ou une bombe qui éclate à la tête des lecteurs imprudents et leur projette de la bave d'escargot venimeux sur la figure. Parce que je me méfie de Line. Je l'ai surprise hier en train de fouiner dans ma chambre. Elle a prétendu qu'elle cherchait un CD qu'elle m'a prêté il y a deux semaines ; seulement, avec elle, mieux vaut être prudent...

Prof de français :
« Encore une phrase à raturer. »

Zut, ce n'est pas de ça que je voulais parler. Je pourrais raturer ce que je viens d'écrire, comme un grand écrivain, mais j'entends déjà les commentaires de ma prof de français...

Il n'y a aucun risque que ma prof de français lise ce livre. Elle ne lit que des fiches de lecture.

« Ne tourne pas autour du pot », dirait ma grand-mère Annie. Oui, très bien, mais de quel pot s'agit-il ? Pot de fleurs ? Pot de chambre ? Pot d'échappement ?

Oh, là, là, là, je n'y arriverai jamais. C'est simple pourtant : je veux raconter ma rencontre avec Lukas, ce matin, au marché. Depuis que M. Demirel m'a appris que Lukas était muet, je me sentais affreusement gêné. J'ai essayé de me rappeler tous les moments passés avec lui. J'avais peur d'avoir dit quelque chose qui aurait pu le blesser. Et puis, maintenant que je savais, je craignais que ce ne soit plus pareil entre nous.

Je me suis torturé pour rien. Lukas est toujours le même. Quand je suis arrivé devant le musée, il avait juste commencé son numéro. Milan et sa maman étaient déjà là. Milan a lâché la main de sa mère quand il m'a vu et m'a tendu les bras. « C'est aussi bien, ai-je pensé, Lukas ne pourra pas me faire intervenir dans son numéro. » Mais Lukas a joué avec Milan, il lui a mis un chapeau sur la tête, puis une pomme sur le chapeau, et un abricot sur la pomme. Milan se tenait bien raide, très fier. J'étais un peu jaloux.

Après le spectacle, c'est Milan qui a fait passer le chapeau parmi les spectateurs. J'ai dû l'aider, parce que le chapeau est vite devenu trop lourd pour lui. Ensuite, on est allés tous ensemble boire un verre au café du Marché.

Dans ma tête, j'avais préparé plein de choses à dire à Lukas. Et finalement, je n'ai rien dit. À quoi bon ? Je suis sûr qu'il a compris. En partant, il a mis deux doigts sur son cœur, puis sur le mien. C'est clair, non ?

Record
de grimaces

Encore un record battu malgré moi. Je n'ai pas fait une seule grimace, en réalité, j'ai seulement travaillé mon « expressivité faciale ». Mais allez expliquer ça au commun des mortels.

Avec Lukas, en cours, on s'entraîne à exprimer tous les sentiments par des mimiques et des mouvements du visage. Pas simple ! Lukas trouve toujours qu'on exagère ou, au contraire, qu'on ne peut pas « lire » les émotions sur notre binette. Le plus difficile est de passer très rapidement d'une expression à l'autre.

Alors, je m'entraîne. Tous les matins, je fais des exercices d'assouplissement. Je décontracte les muscles du visage, j'étire la bouche dans tous les sens, je creuse les joues, je bouge mon nez, mes oreilles, mes sourcils, je roule les yeux... Je m'enferme dans la salle de bains pour contrôler dans le miroir au-dessus du lavabo. Line est folle parce qu'elle ne peut plus accaparer la salle de bains pour elle toute seule.

– Qu'est-ce que tu fiches là-dedans ! hurle-t-elle en tapant sur la porte. Tu te maquilles maintenant ?

Pas encore, mais ça viendra. Pour le spectacle qu'on présentera bientôt, on utilisera le maquillage, nous a annoncé Lukas. Mais très peu. Un signe pour chacun. On a fait des essais. Moi, j'ai trouvé : je me dessine un rond rouge sur la joue gauche. Ça suffit pour changer complètement mon visage. Je m'entraîne toute la journée. Dans le bus, dans les couloirs du collège, pendant les cours. J'essaie chaque fois une expression nouvelle. Parfois, ça marche. En cours de math, j'ai pris un air souffrant, j'ai expérimenté des « grimaces » de douleur, et la prof m'a envoyé à l'infirmerie. Elle était persuadée que j'avais une péritonite. Parfois, ça marche un peu moins. Le plus souvent, en fait. Aujourd'hui, j'ai récolté un avertissement en sport **« Ben fait le pitre en cours »** et une punition à la cantine **cent fois à copier « Je ne dois pas faire le pitre »**. Pas grave, ce sont les risques du métier.

À la maison, je profite des repas pour m'entraîner. Ce soir, par exemple, je m'exerçais à la mimique « Hmm, quel délice, ce plat a l'air tellement succulent que je vais m'en faire péter le ventre ». Maman a attrapé un tel fou rire qu'elle a failli s'étrangler avec un morceau de viande. Papa n'a pas le sens de l'humour : il m'a exilé au garage jusqu'à la fin du repas.

Je ne dois pas faire le pitre, Je ne dois pas faire le pitre, Je ne dois pas faire le pitre, Je ne dois pas faire le pitre, Je ne dois pas faire le pitre, Je ne dois pas faire le pitre, Je ne dois pas faire le pitre, Je ne dois pas faire le pitre, Je ne dois pas faire le pitre, Je ne dois pas faire le pitre, Je ne dois pas faire le pitre, Je ne dois pas faire le pitre, Je ne dois pas faire le pitre, Je ne dois pas faire le pitre, Je ne dois pas faire le pitre, Je ne dois pas faire le pitre, Je ne dois pas faire le pitre, Je ne dois pas faire le pitre

Quant à Line, elle est restée totalement indifférente à mes essais artistiques. Elle était trop occupée dans la contemplation béate de ses ongles peinturlurés de frais. Elle n'a même pas réagi quand je l'ai imitée.

Si je calcule, j'ai réussi 3 « expressions faciales » et raté une bonne vingtaine de « grimaces », 21 si j'ai bien compté. J'ai amplement mérité un nouveau diplôme.

le 7 juin

DIPLÔME ACCORDÉ À BEN LETOURNEUX

Pour avoir fait 21 grimaces qui lui ont mérité
le titre de « pitre de l'année ».

Libre à chacun de choisir sa grimace préférée.
ou expression
faciale

Le jury

Bien. Maintenant, je vais répéter mon numéro pour le spectacle. C'est un numéro de clown, évidemment, mais je jongle aussi avec des cuillères en bois et je joue du saxophone. Je ferme à clé la porte de ma chambre, parce que c'est top secret et j'ai repéré une espionne planquée dans la chambre à côté.

Record
de « merci ! »

J'ai hésité à inscrire ce record dans mon palmarès et à m'attribuer un nouveau diplôme, parce que ce n'est pas vraiment un record NUL. Pas pour moi, en tout cas.

C'est maman qui m'a donné l'idée, indirectement.

– Tu as remercié M. Demirel pour les livres qu'il t'a donnés ? m'a-t-elle demandé hier soir.

– Oui, oui, ai-je grommelé. *J'étais en train de jongler avec trois cuillères en bois et elle troublait ma concentration.*

Mais l'ai-je bien remercié ?

Je n'en étais plus très sûr. Ça m'a turlupiné toute la soirée et une bonne partie de la nuit.

Pour être précis : de 1h15 à 1h19, quand je suis allé faire pipi, parce que j'avais trop bu de jus de pomme après le dîner.

C'est enquiquinant. Comment vérifier si je l'ai remercié ou pas ? Je ne peux pas le lui demander de but en blanc. Et ils sont super, ses bouquins. Le premier, c'est une histoire du cirque avec plein de photos et d'illustrations, et l'autre, *Un jour au cirque*, décrit heure par heure une journée dans un cirque, comme si on était dans les coulisses.

Bref, j'avais mauvaise conscience. Alors, j'ai décidé de dire « **merci** » au plus de gens possible aujourd'hui. Pour me racheter, en somme.

À peine levé, j'ai dit « **merci** » à ma sœur dans l'escalier.

– Hein ? De quoi ? a-t-elle ronchonné, méfiante.

– Eh bien, d'être ma sœur, tout simplement, ai-je répondu. Merci de me supporter, et de me faire rire de temps en temps. Assez souvent, en fait.

– Connard !

Oui, oui, elle a dit « connard », je suis bien obligé de l'écrire. Et elle a essayé de me donner un coup de poing dans le ventre, mais j'ai esquivé brillamment.

Heureusement que personne (je dis bien : PERSONNE) ne lira ce livre.

J'ai dit « **merci** » à papa qui rangeait les bols dans le lave-vaisselle.

– Ouais, je suis la bonniche, je sais, a-t-il grommelé. Ce serait à toi de le faire, non ?

– Merci quand même, ai-je soupiré.

En partant pour le collège, j'ai embrassé maman et je lui ai dit « **merci** », tout doucement, à l'oreille.

– Toi aussi, ~~mon lapin~~ Sans commentaire. a-t-elle répondu. N'oublie pas le pain en rentrant.

Décourageant, non ?

J'ai dit « **merci** » aux éboueurs dans notre rue, mais ils n'ont pas entendu. J'ai dit « **merci** » au chauffeur de bus, mais il n'a pas répondu. J'ai dit « **merci** » à une fille qui m'a marché sur les pieds, mais elle n'a pas réagi. Elle avait des écouteurs enfoncés dans les oreilles, Mais la dame de la cantine, à qui j'ai lancé un il est vrai. « **merci, madame !** » bien sonore, m'a répondu par un grand sourire et ça m'a réchauffé le cœur.

À la fin du cours de français, je suis allé dire « **merci** » à la prof. Elle a été plutôt surprise.

– Merci pour quoi ?

– Merci pour le cours, c'était très intéressant, ai-je menti. Parce qu'en vérité, je n'ai pas beaucoup écouté. Alors, là, ça l'a scotchée.

– J'en suis à ma dix-huitième année d'enseignement, et c'est la première fois qu'un élève me remercie pour un cours.

Prise d'un doute, elle m'a examiné par-dessus ses lunettes demi-lune :

– C'est une blague ? Un pari que tu as fait avec tes camarades, c'est ça ?

J'ai pris un air consterné.

– Oh non, madame !

Je le réussis très bien, celui-là, c'est l'expression faciale numéro 13 de mon répertoire.

– Alors, je te remercie de m'avoir remerciée.

J'ai bien senti qu'elle n'était pas franchement convaincue.

Et puis je suis passé voir M. Demirel. Je lui ai parlé des livres. Et, presque naturellement, j'ai réussi à placer :

– Merci, vraiment merci de me les avoir donnés.

Il a ri :

– Ils ont l'air de te plaire, ces malheureux bouquins. C'est la troisième fois que tu me remercies !

En résumé, je n'ai pas eu grand succès avec mes « **merci** ». Ça m'est bien égal. Je trouve que c'était une bonne journée. C'est bien de dire « **merci** », ça rend plus léger, plus content.

Oui, oui, je suis content. Voilà.

le 14 juin

MOITIÉ DE DIPLÔME ACCORDÉE À BEN LETOURNEUX

Très partagé, le jury a décidé d'accorder
un demi-diplôme à l'apprenti clown Ben L.
pour son action « MERCI » à tort et à travers.
Parce que, ouais, bof, c'est pas vraiment nul.
Et même un peu trop gentil.
Attention, Ben, si tu continues, tu vas devenir
un enfant modèle.

Le jury

FIN

Oui, c'est fini. Voilà quinze jours que je n'ai rien écrit dans MON livre des records NULS. Il ne me reste que trois pages blanches de toute façon. Et je n'ai pas de nouvel exploit à raconter. J'étais trop occupé par notre spectacle de l'école de cirque. On l'a présenté deux fois. La première fois à la MJC Milan est venu avec ses parents et il s'est endormi juste après mon numéro. La seconde fois à la maison de retraite. Tout s'est bien passé. Lukas était content, mes parents étaient fiers, M. Demirel était ému, tante Rosie m'a donné vingt euros. ⟵

Et ma sœur a pris des photos.

« Il faut encourager les artistes », a-t-elle dit.

J'ai seulement dit une bêtise. Dans la voiture, sur le chemin du retour après la représentation à la maison de retraite, maman a annoncé :

– Au fait, vous savez que Lukas va venir habiter la maison de M. Demirel ?

– Première nouvelle, a dit papa.

– Oui, Lukas et Justine s'installent dans deux ou trois semaines, le temps de refaire les peintures et d'aménager la cuisine.

Et moi :

– Justine ? Pourquoi Justine ?

Ma sœur comme si elle s'adressait à un idiot :

– Hé, Ben, il faut suivre l'actualité : Lukas et Justine vivent ensemble.

Ah, bon ? Une fois encore, je n'avais rien remarqué. Mais, honnêtement, j'ai fait bien pire. Je n'ai pas battu de record, cette fois, et je ne crois pas que j'en battrai de nouveaux. Il faudrait que je commence un autre livre, mais je n'ai plus tellement envie d'écrire. Ce n'est pas très motivant quand on sait qu'on n'aura jamais de lecteur...

Ah, avant de terminer vraiment : pour le spectacle, je devais chercher un nom. Le nom de mon personnage clownesque. Et j'ai trouvé : **Archy Nul**.

Archy Nul, ça fera bien sur une affiche, non ?

Un tout dernier mot...

Lecteur *totalement* inconscient,

Malgré tous mes avertissements, tu as donc lu ce livre ! Tant pis pour toi, je t'avais prévenu, le châtiment sera terrible ! Tu trembles, j'espère, tu te demandes quel supplice je vais t'infliger... Prépare-toi à souffrir ! C'est encore pire que ce que tu imagines... Tu vas regretter d'avoir touché ce livre au lieu de le laisser dormir tranquillement sur les étagères des librairies et des bibliothèques !
Tu n'as pas respecté l'interdiction, voici la punition :
RÉDIGE UNE FICHE DE LECTURE SUR CE LIVRE !
N'oublie pas :
résumé détaillé, analyse et avis personnel !
Bon courage !!!!!!!!!!!!!!!!!!

Ben

L'AUTEUR

Bernard Friot est né près de Chartres mais a posé ses valises dans de nombreuses villes de France et d'Allemagne. D'abord, enseignant de lettres, il s'est très tôt intéressé aux pratiques de lecture des enfants et adolescents. Il se définit comme un « écrivain public » : il a besoin de contacts réguliers avec ses jeunes lecteurs pour retrouver en lui-même les émotions, les images dont naissent ses histoires. Il est l'auteur de textes courts (notamment de six volumes d' Histoires pressées), de romans et de recueils de poésie. Il est également traducteur de l'allemand et de l'italien.

Achevé d'imprimer en décembre 2013 en Italie